ERA UMA VEZ UMA RAINHA QUE SONHAVA EM TER UMA FILHA. UM DIA, COSTURANDO, ELA ESPETOU O DEDO E SEU SANGUE CAIU NA NEVE. ENTÃO, IMAGINOU SUA FILHA BRANCA COMO A NEVE, COM LÁBIOS VERMELHOS COMO O SANGUE E CABELOS NEGROS COMO O ÉBANO.

APÓS ALGUM TEMPO, O DESEJO DA RAINHA SE REALIZOU E ELA DEU À LUZ UMA MENINA QUE NASCEU EXATAMENTE COMO A MÃE HAVIA IMAGINADO. POR ISSO, A PRINCESA FOI BATIZADA COMO BRANCA DE NEVE.

TEMPOS DEPOIS, A RAINHA FALECEU E O REI SE CASOU COM UMA BELA E ORGULHOSA MULHER. ELA COSTUMAVA PERGUNTAR AO SEU ESPELHO MÁGICO SE HAVIA ALGUÉM MAIS LINDA DO QUE ELA.

CERTO DIA, O ESPELHO DISSE QUE BRANCA DE NEVE ERA A MAIS BELA.

A RAINHA FICOU LOUCA DE RAIVA E ORDENOU A UM CAÇADOR QUE LEVASSE A PRINCESA PARA PASSEAR NA FLORESTA E LÁ, BEM LONGE, DESSE UM FIM EM SUA VIDA.

O CAÇADOR, COM PENA DE BRANCA DE NEVE, A DEIXOU IR EMBORA. A POBRE MENINA VAGOU PELA FLORESTA, ATÉ QUE VIU UMA CABANA. LÁ DENTRO, TUDO ERA PEQUENO. NA MESA HAVIA SETE PRATINHOS E SETE COPINHOS.

BRANCA DE NEVE ESTAVA COM TANTA FOME, QUE COMEU UM POUCO E DEPOIS PEGOU NO SONO.

JÁ ERA NOITE QUANDO OS SETE ANÕES, QUE TRABALHAVAM NUMA MINA, VOLTARAM PARA CASA E NOTARAM QUE ALGUÉM HAVIA ESTADO ALI.

UM DOS ANÕES VIU BRANCA DE NEVE DEITADA, DORMINDO EM UMA DAS CAMAS. ELE LOGO CHAMOU OS OUTROS E TODOS SE ENCANTARAM COM A BELEZA DA JOVEM.

OS SETE ANÕES SE MOSTRARAM MUITO AMÁVEIS E A CONVIDARAM PARA MORAR COM ELES. ELA CONCORDOU.

ENQUANTO ISSO, NO CASTELO, O ESPELHO ENCANTADO DIZIA À RAINHA QUE A JOVEM ESTAVA VIVA. ELA FICOU LOUCA DE RAIVA.

ENTÃO, A MALVADA RAINHA PREPAROU UMA MAÇÃ ENVENENADA, PINTOU O ROSTO E SE VESTIU COMO UMA POBRE CAMPONESA. EM SEGUIDA, LÁ FOI ELA EM DIREÇÃO À CABANA DOS SETE ANÕES.

AO OUVIR BATIDAS NA PORTA, BRANCA DE NEVE FOI ATÉ A JANELA E VIU A POBRE SENHORA, QUE LHE PEDIU UM COPO D'ÁGUA. A JOVEM ATENDEU AO PEDIDO E, COMO RETRIBUIÇÃO, GANHOU UMA MAÇÃ.

BRANCA DE NEVE OLHOU PARA A LINDA MAÇÃ, MORDEU UM PEQUENO PEDAÇO E CAIU MORTINHA. A RAINHA FICOU FELIZ DA VIDA E VOLTOU PARA O SEU CASTELO.

QUANDO VOLTARAM PARA CASA, OS SETE ANÕES ENCONTRARAM BRANCA DE NEVE ESTENDIDA NO CHÃO, IMÓVEL, SEM RESPIRAR. ENTÃO A COLOCARAM EM UM CAIXÃO DE VIDRO.

UM PRÍNCIPE QUE PASSAVA PELA FLORESTA VIU A LINDA BRANCA DE NEVE E PEDIU AOS ANÕES QUE LHE ENTREGASSEM A JOVEM, PROMETENDO CUIDAR DELA COMO SE FOSSE O SEU BEM MAIS PRECIOSO.

NO CAMINHO, UM DOS SOLDADOS TROPEÇOU E O CAIXÃO BALANÇOU TANTO, QUE O PEDAÇO DE MAÇÃ ENVENENADA SALTOU DA BOCA DE BRANCA DE NEVE; ELE ESTAVA ATRAVESSADO NA SUA GARGANTA. ELA ABRIU OS OLHOS E O PRÍNCIPE, ENCANTADO COM SUA BELEZA, A PEDIU EM CASAMENTO.

BRANCA DE NEVE ACEITOU O PEDIDO E ATÉ CHAMOU A MADRASTA PARA O SEU CASAMENTO. CHEGANDO À FESTA, A RAINHA FICOU COM TANTA RAIVA QUE PAROU, IMÓVEL. ENTÃO, TEVE UM TROÇO E CAIU DURINHA.